바다

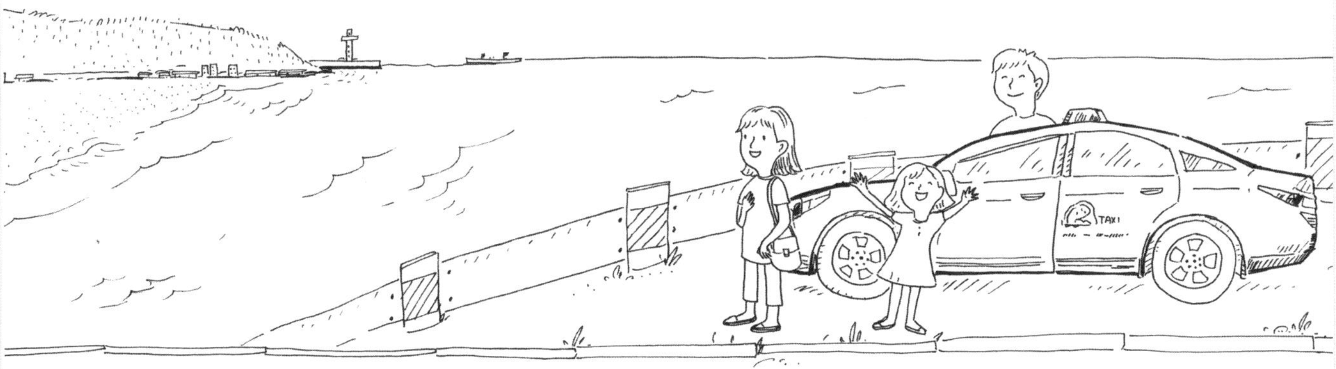

우리는　버스를　타요.

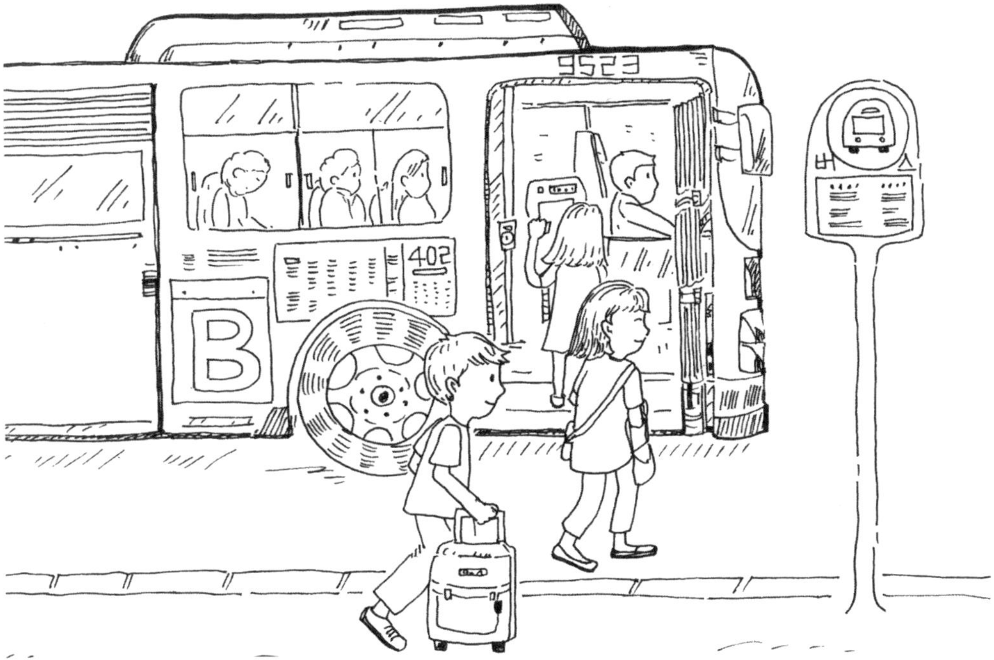
402
B

우리는 기차를 타요.

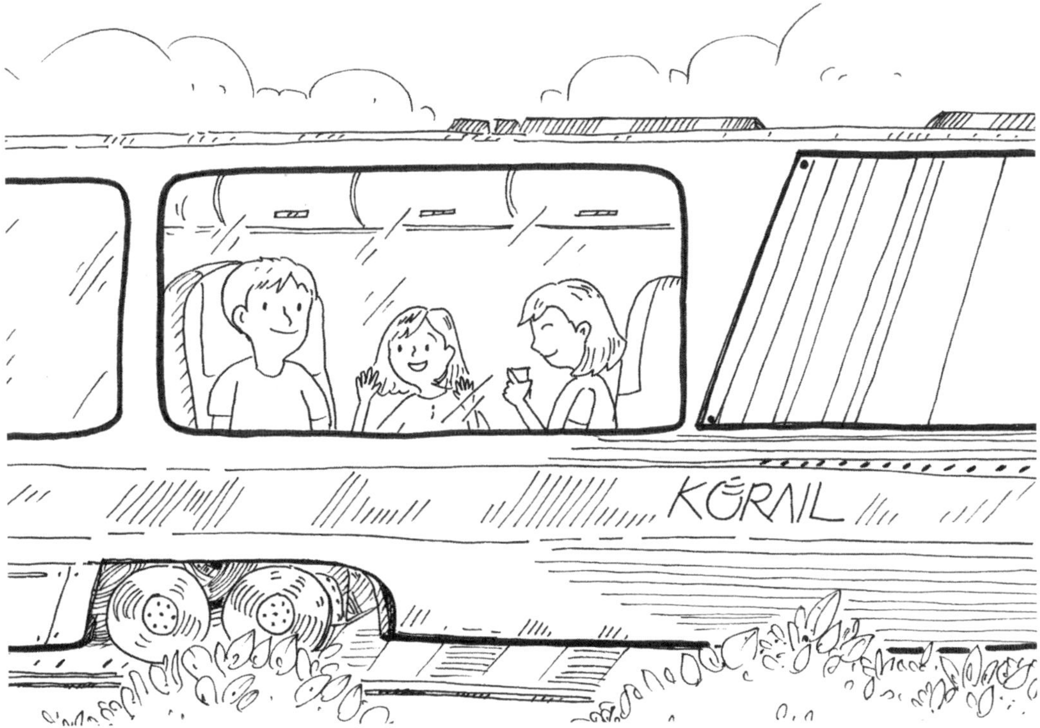
KORAIL

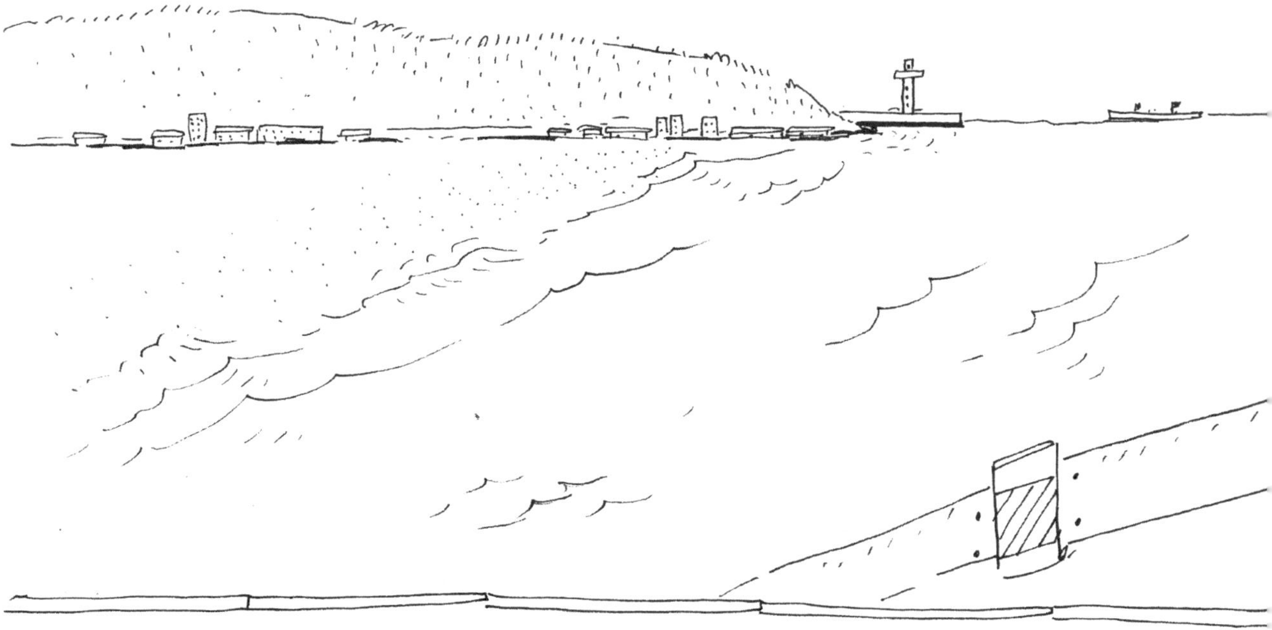

우리는 택시를 타요.

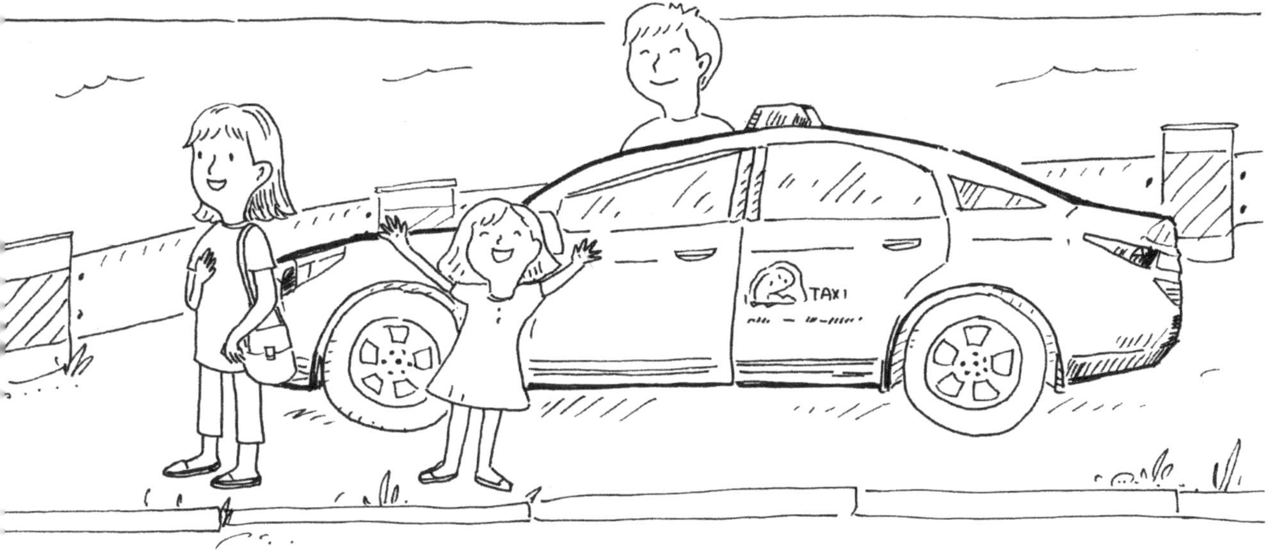

바다가 보여요.

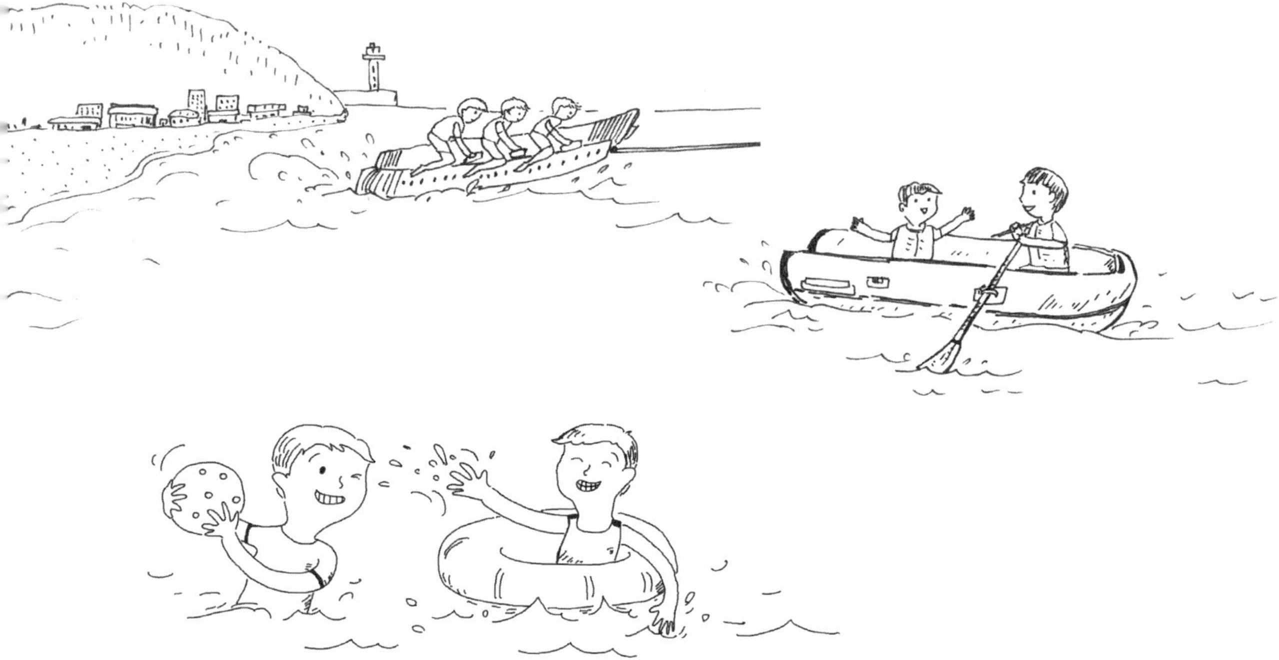

바다에서 무엇을 탈까요?